ᐅᑭᐅᖅᑕᖅᑐᒥ ᐃᒋᕐᕈᑏᑦ
UKIUQTAQTUMI IGIRRUTIIT
ARCTIC TOOLS

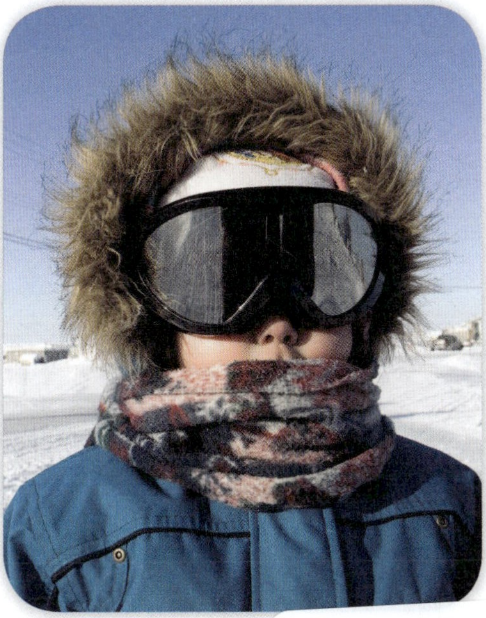

ᐅᓗ

ulu

ulu

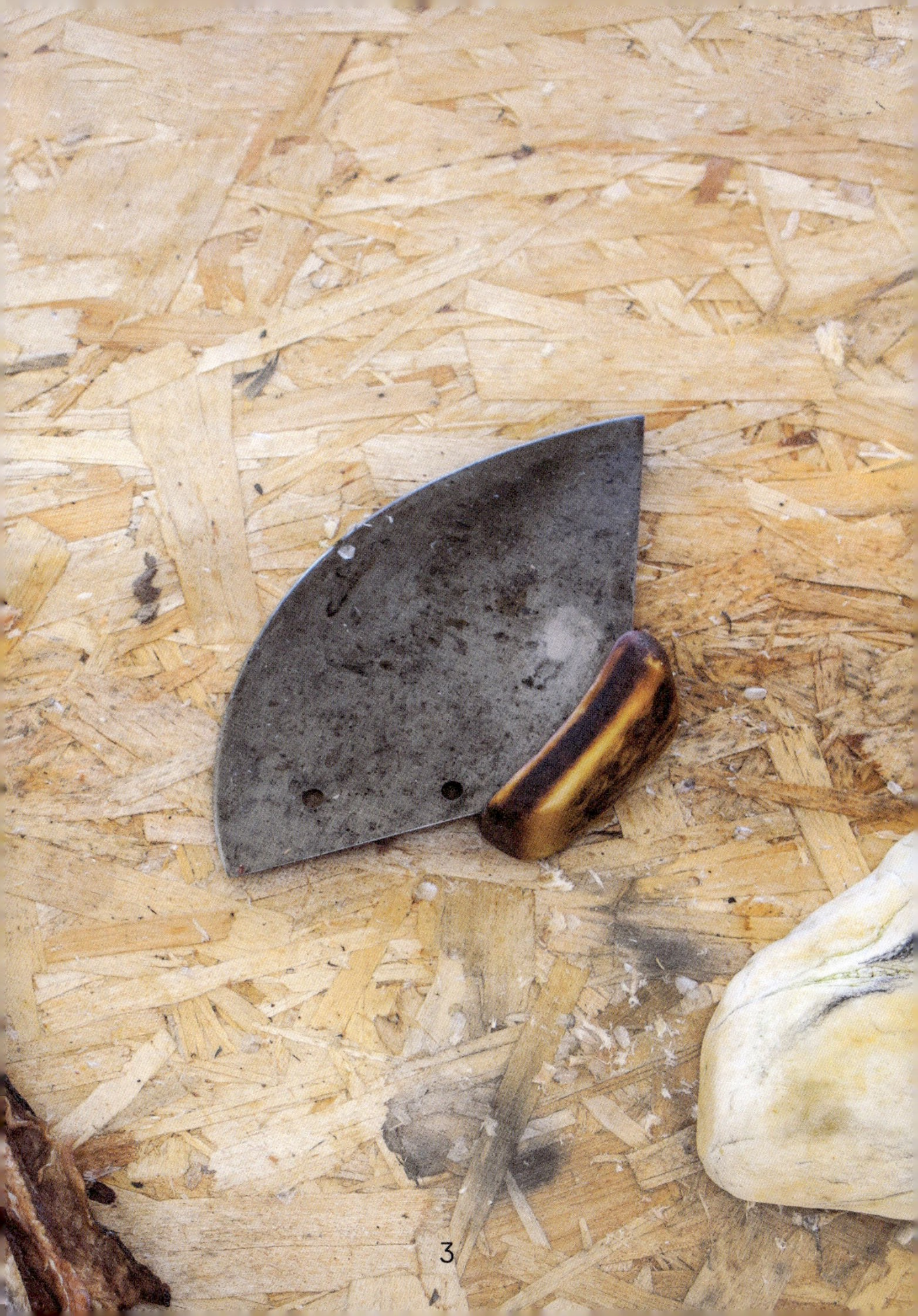

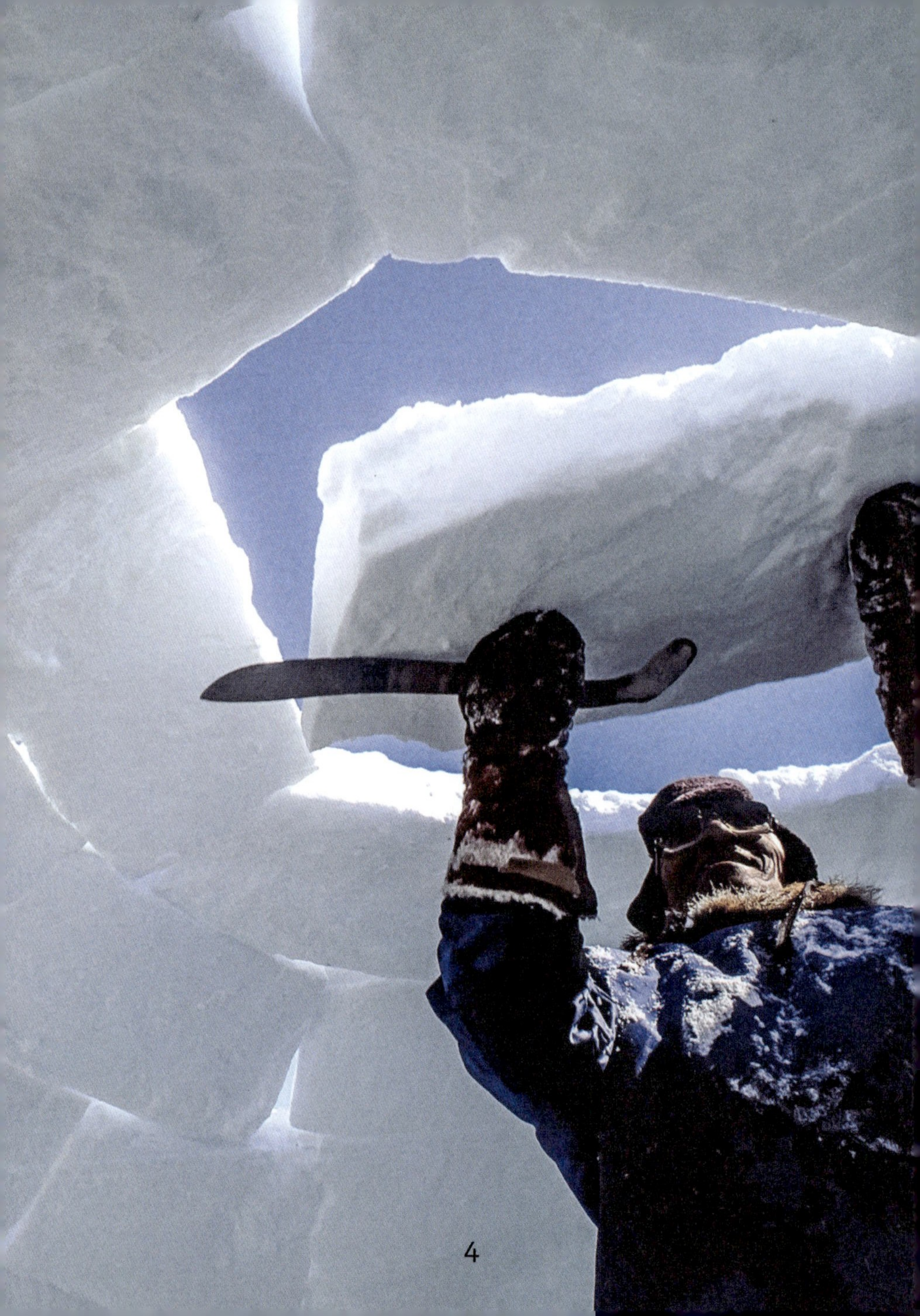

ᐸᓇ

pana

snow knife

ᐃᒡᒑᒃ

iggaak

goggles

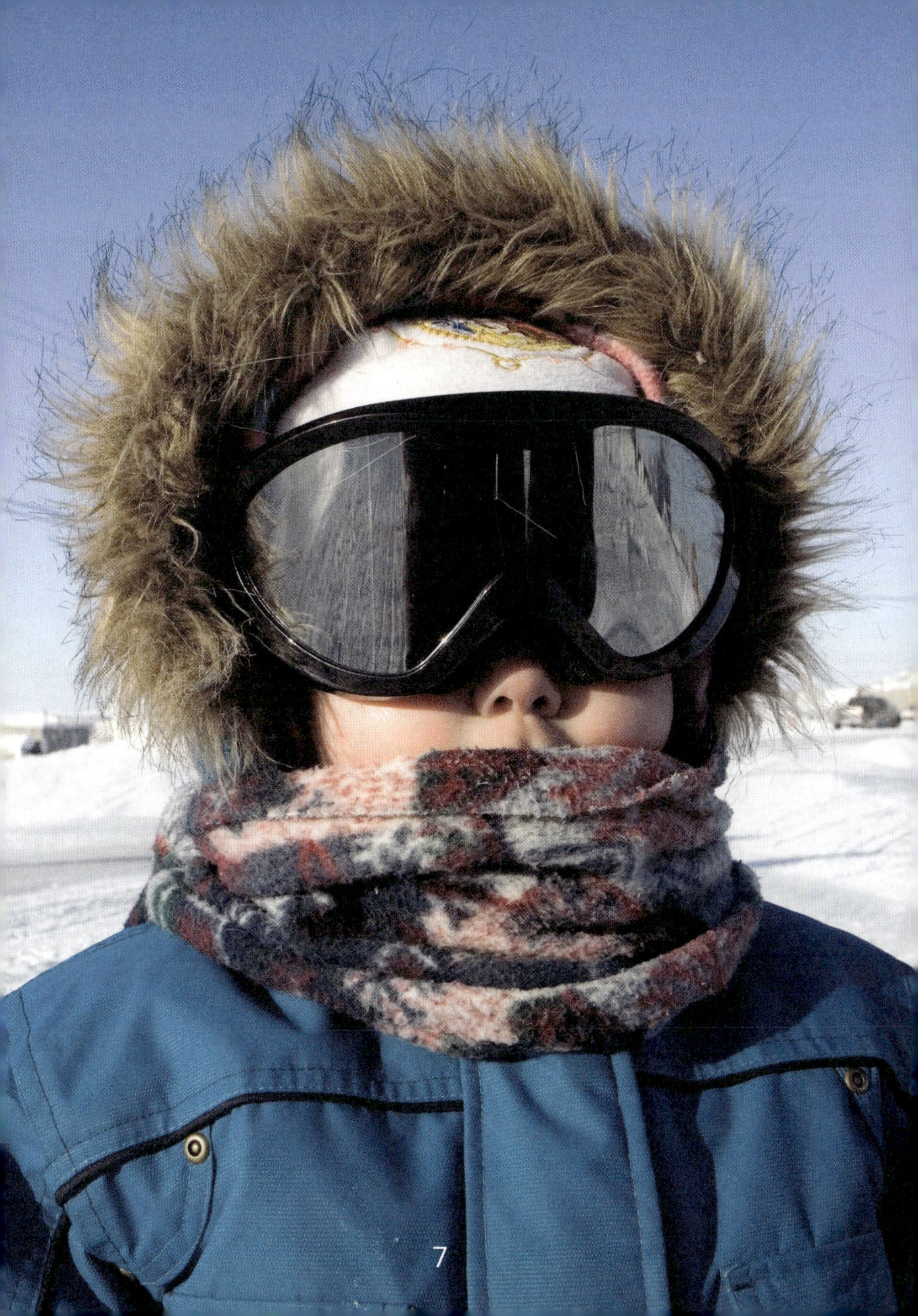

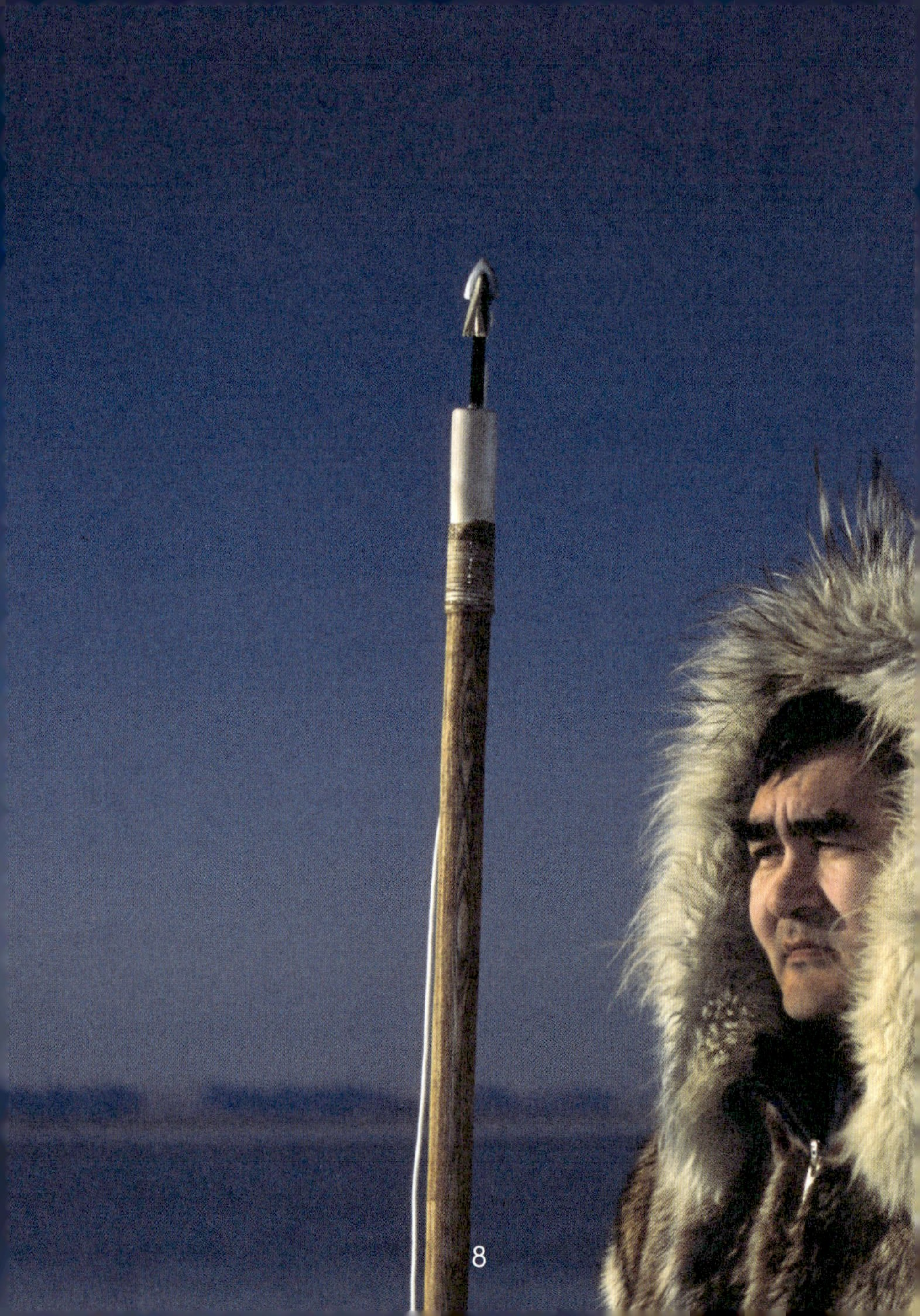

ᐅᓈᖅ

unaaq

harpoon

ᑲᑭᕚᒃ

kakivaak

kakivaak

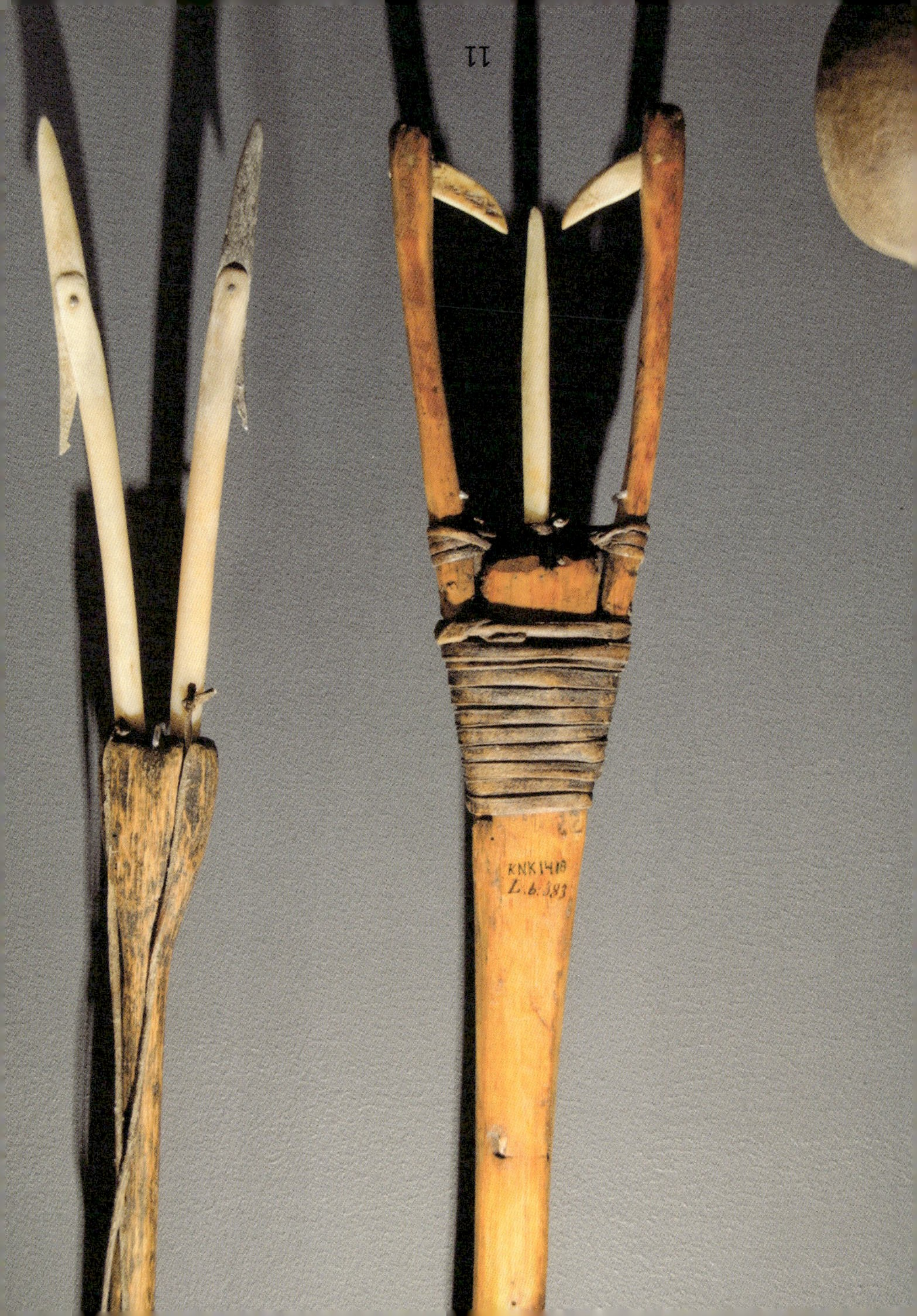
KNK1418
L.b.383

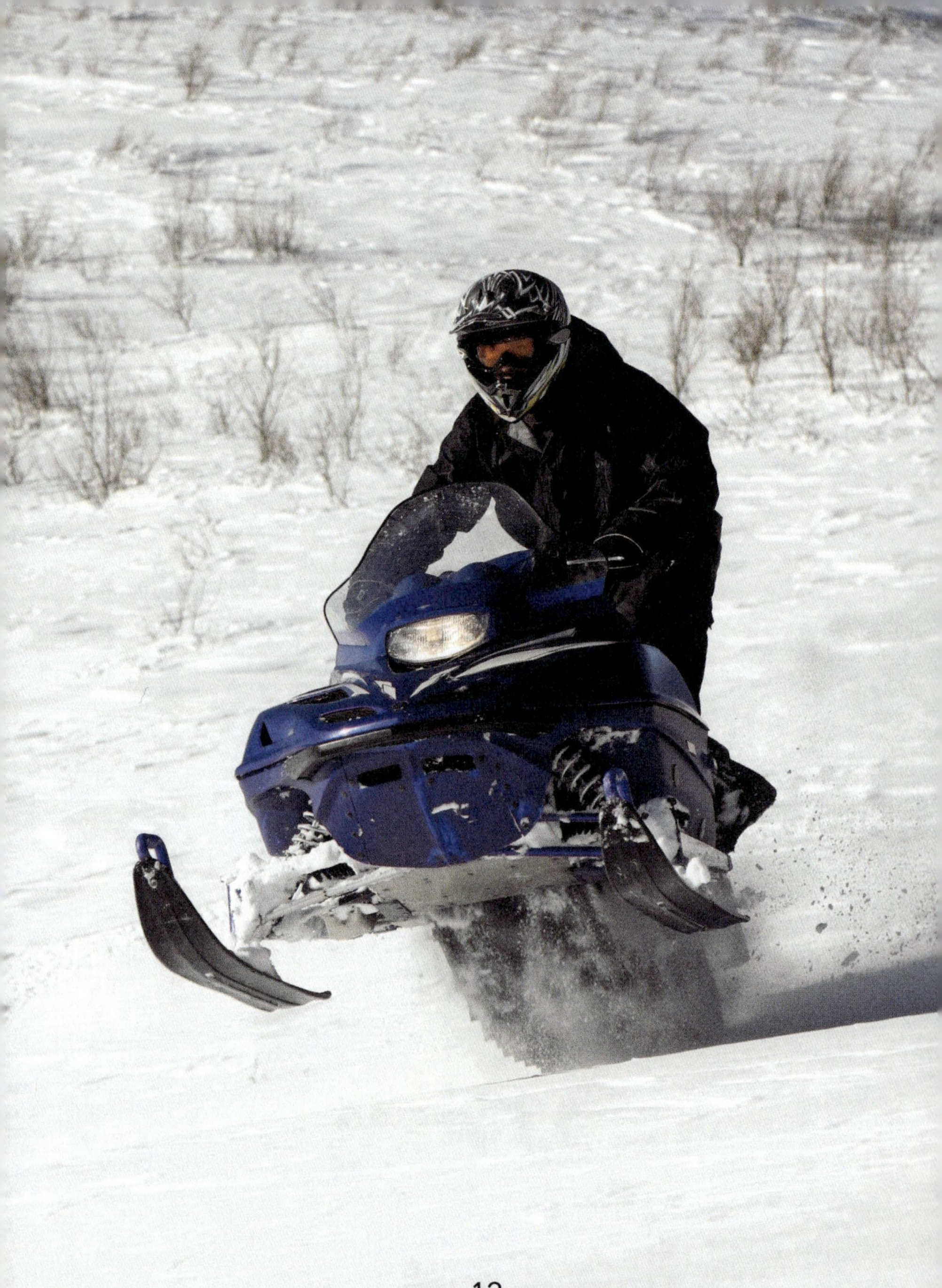

ᖃᒧᑕᐅᔮᒃ

qamutaujaak

snowmobile

ᖃᒧᑏᒃ

qamutiik

qamutiik

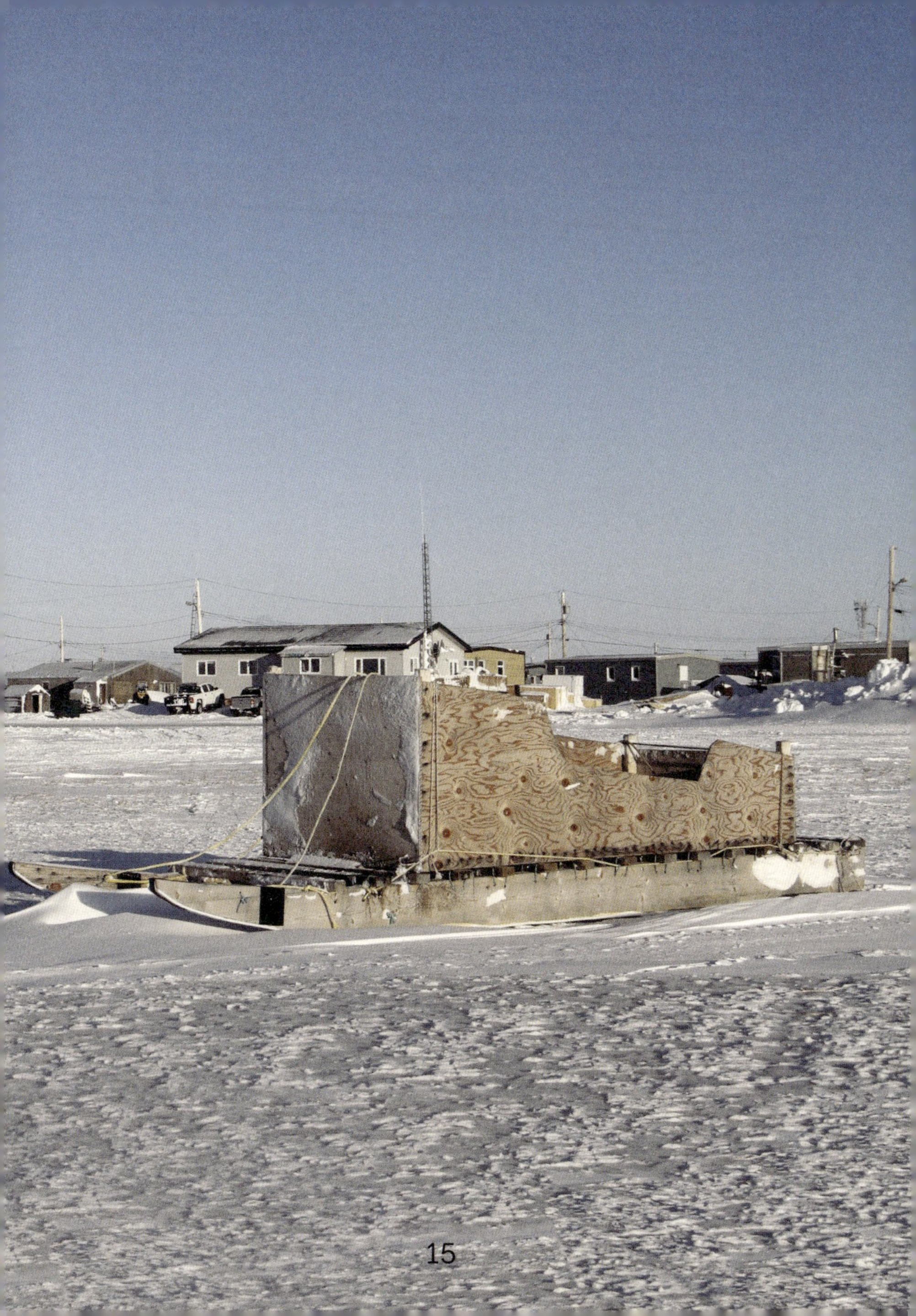

Nunavummi